ZEP

titeuf 0

God, seks en de bretellen

Glénat BENELUX

Bezoek onze website : www.glenat.be

BP 177, 38008 Grenoble Cedex

D/2010/4607/89
Verschenen in juli 2010.

Gedrukt in Italië in juli 2010 door Legoprint, op papier dat afkomstig is uit duurzaam berheerde bossen.

de vrouw met zonder ballen

m'n vriend manu
WAT MOET IK 'R SCHRIJVEN?
POEH...
MH.

JE OGEN ZIJN NET GROTE KNIKKERS...
EH...
NEE.
HM.

IK WEET 'T! MAAK GEWOON EEN TEKENING VOOR HAAR!
TOF!

DENK JE DAT ZE DAT LEUK VINDT?
HET KAN NIET ERGER ZIJN DAN ALS JE 'R SCHRIJFT.

WOH.
SUPER.
MAAR HAAR OGEN ZIJN TE KLEIN...
TE KLEIN?
YEP!

ZE WORDEN VEEL TE GROOT...
WELNEE... GELOOF ME NOU MAAR...
ZE IS VAST GEVLEID.
VOETEN NIET VERGETEN.

VOETEN? DIE HEB IK AL GETEKEND!
JE ZIET ZE BIJNA NIET... DAAR KAN ZE NIET OP STAAN!
ECHT!

JE BRIL DEUGT NIET!
WEL. DA'S BELANGRIJK VOOR MEISJES... VOETEN.
DAT ZEGT M'N VADER.

TJA, 'T LIJKT NIE ERG MEER.
WELLES! GAAF, JOH! DE NEUSGATEN NOG EN JE BENT KLAAR.
WAH!
ZE IS DOLBLIJ.

NIET GRAPPIG... WIE DIT GEDROCHT OP M'N TAFELTJE HEEFT GELEGD, KRIJGT EEN DREUN!
GEEN NAAM ERONDER... DE LAFBEK!
JECH.
WAT LELIJK!
WAH
HÈHÈ
ARK

IK ZEI TOCH DAT DE OGEN GROTER...
HM
GLP

wie kan het verst pissen?

de tekenles

ZE FELICITEERDE ONS OMDAT WE ER ZO VEEL EMOTIE IN HADDEN GELEGD. MANU EN IK KREGEN ALLEBEI EEN TIEN...

ALS JE 'T MIJ VRAAGT IS MANU BIJ MENEER PICASSO LANGS GEWEEST TOEN IE IN SPANJE MET VAKANTIE WAS.

de opa van ludo

god

x IK BEN DEUGNIET, EEN 50x

meisjes zijn zooo stom
Hi Hi Hi Hi
ECOLE

WAT ZIJN MEISJES STOM, HÈ...
JA NOU.

WEET JE WAAROM MEISJES ZO STOM ZIJN?
EH... NEE.

NOU... ALS EEN KIND IN MAMA'S BUIK GROTE HERSENEN HEEFT, WORDT HET EEN JONGEN... EN ANDERS EEN MEISJE...
DAT ZEGT M'N VADER.
TEEERING.

KIJK... ZE ZITTEN MEKAAR ACHTERNA OM OP TE VALLEN...
O JA?
Hi Hi Hi Hi

JIJ ZIET NOOIT IETS... NATHALIE IS VERLIEFD OP JE.
NIETES!

WELLES! ZE WIL MET JE TROUWEN!
DA'S NIET WAAR!
DA'S NIET WAAR!

HOE DURF JE DAT TE ZEGGEN!
ZE IS JE VRIE...
HOU JE KOP!
JE VR...
NEE!

KIJK, NATHALIE... TITEUF EN MANU VECHTEN...
SUK-KELS.
PENG
BUNK
FRAPPE
BEIGNE

WEET JIJ WAAROM JONGENS ZO STOM ZIJN?
BENG
ZEP

x OPGEPAST ONGELUK

de afstand van voet tot kont

de junkie
BOB MURRAY, ZANGER VAN DE GROEP PINK PURPLE, IS GISTERAVOND OVERLEDEN AAN EEN HARTSTILSTAND...

HARTSTILSTAND, M'N NEUS... HIJ GING DOOD OMDAT IE DRUGS GEBRUIKTE NET ALS ALLE DRUGSGEBRUIKERS.
DAT ZEGT M'N VADER.
HIJ ROOKTE VAST TWIET.
WIET.

WIET STELT NIKS VOOR! AL DIE STERREN ZIJN AAN DE COKE!
VAN DE KOOK?

ZE SNUIVEN EEN LIJNTJE COKE EN DAARNA KRIJGEN ZE DE HOOGTE... ZO WORDEN ZE STERREN.
ECHT.
KOOOLERE

MAAR OPGEPAST, HÈ... ALS ZE TE VEEL NEMEN, WORDEN ZE JUNKIES. HUN HANDEN BEVEN EN ZE KWIJLEN...
WOAH! M'N OPA IS EEN JUNKIE!
SHIT, ZEG!

FRANÇOIS WEET 'N HOOP, HÈ... JIJ WEL 'NS EEN LIJNTJE COKE GEBRUIKT?
JA, TUURLIJK!

WIE HEEFT ER ZO'N BENDE...
TITEUF!

TI...?!
'T IS... 'T IS NIET WAT JE DENKT, MAM!
ZIE JE M'N HANDEN? 'K BEN GEEN JUNKIE!

de psycholoog

later wil ik geen held worden
WE NEMEN DIE SPLEETOGEN TE GRAZEN, JONGENS!
WAAH!

VUUR! TAK TAK TAK
WOAH

TAK TAK
GLPS

COMMANDANT, SPAAR DE BURGERS!
VOOR MIJ ZIJN ER ALLEEN VIJAN-DEN!

M'N BABY! NEE!
WÈÈÈH
TAK
TAK TAK
AGH

BROEM

TITEUF, WAT DOE JE?
IK VERANDER M'N SOLDAATJES IN TUINMANNEN!
11

tsjernobyl

GYM MET DE MEISJES. BALEN!
IK VIND 'T WEL LEUK...

JA, WANT NATHALIE DOET OOK MEE! HAHA!
ZEIK NIET.
HIHI

KAN MIJ 'T SCHELEN, DIE...
JA, JA.

TITEUF! KOM OP!

TJEE! DA'S TSJERNOBYL! ALS DE MEISJES DAT RUIKEN...

TITEEEEEUF!
PLEITE!
HET RAAM!

WE GAAN BEGINNEN!
WEG.

HOPLA... ?!
SPROTCH

SH...
TITEUF! WAAR BLIJF JE?!

AHA! ZEG, WAT DOE JE DAAR?!
TEMPO!

EEN OPERATIE OM JE GEZICHT TE VERANDEREN?! WAT MANKEERT JE, TITEUF?
'T IS WAT.

de anti-zwaartekracht-bretellen
DONG
DONG DONG
DIE DAG TROFFEN ME TWEE RAMPEN...

IK KWAM TE LAAT...

EN MAMA HAD BRETELLEN VOOR ME GEKOCHT.

M'N KLASGENOTEN, DIE NITWITS...

... VONDEN ZE ALLEEN MAAR REUZE GEINIG...
SHLAK

IK MOEST ZE UITLEGGEN...
ZE VOORKOMEN DAT JE BROEK AFZAKT.
O, WAT ZIJN WE ONDER DE INDRUK
WAAH

MOET JE KIJKEN, TITEUF! MAGISCH! M'N BROEK BLIJFT VANZELF ZITTEN!
WAAH! DE MIJNE OOK!

IK HAD PROMPT HET GEVOEL DAT IK VOOR DE GEK WAS GEHOUDEN... WAAROM WAS IK DE ENIGE BRETELDRAGER IN M'N KLAS?
zwaartekracht
bretellenkracht
aarde
IK NAM GEEN GENOEGEN MET EEN WETENSCHAPPELIJKE UITLEG...

ZOALS PAPA ZEGT: "ERVARING IS DE BESTE LEERMEESTER".
AAAH.

THUIS KON IK M'N OUDERS GERUSTSTELLEN: IK KON LEVEN ZONDER BRETELLEN!
GEEN LAST VAN DE ZWAARTE-KRACHT...
TRALA LALEU

IK KREEG EEN PAK SLAAG EN MOEST ZONDER ETEN NAAR BED.
'T IS NIE EERLIJK.
SNAPPEN JULLIE DAT NOU?

zingen
OP VRIJDAG LEREN WE LIEDJES...
VAAADUR JAAAKOB

IK GA ALTIJD NAAST RAMON STAAN...
JAAAKOB

HIJ BEGRIJPT ONZE TAAL NOG NIET ZO GOED...
BRAADT GIJ NOG
BRAADT GIJ NOG

MAAR ZINGEN VINDT IE HEERLIJK...
ZUIG 'NS AAN DE PIEMEL
ZUIG 'NS AAN DE PIEMEL

IK MOET ZEGGEN DAT IE EEN MOOIE STEM HEEFT...
VAN KING KONG.
VAN KING KONG

JE HOORT 'M OVERAL BOVENUIT...
BIM BA
BOM
BIM B
BIM BOM
VAN KING KONG

RAMON! KOM 'NS EVEN HIER!
WIE, IKKE?

TOE MAAR, WE LUISTEREN!
EH...

LACHEN, MAN!
BRAADT GIJ NOG
BRAADT GIJ NOG
BRAADT GIJ NOG
ZUIG 'NS AAN DE
PIEMUUUL
PIEM
ZUIG
HOU MAAR OP!

KLOPT HET DAT JE ZELF NIET BEGRIJPT WAT JE ZINGT?
EH... NIET ALTIJD...

... WANT IK VERSTA TITEUF SOMS NIET...

STOMME BUITENLANDER...
SLAAPT GIJ NOG
SLAAPT GIJ

haar op je knikkers
HÉ! JIJ MAG DIE KNIKKERS NIET PAKKEN... DIE ZIJN VAN MIJ.
TOE-VALLIG.

IK HEB ZE GEWONNEN. JIJ KAN NIET TEGEN JE VERLIES!
JIJ SPEELT VALS! STOMME DROL!

JIJ SPEELT ZELF VALS... HALFGARE OEN!
EIKEL!
LAMLUL!

NEUS-PULK!
ROT OP... KNURFT!
STINK-WORST!
GELE ONDERBROEK!
NATTE PIEM!
VOL POEP!

RUIGPOOT!
HAARBAL!

HAHA, JIJ WEET NIET EENS WAT "RUIGPOOT" BETEKENT.
WELLES!

RUIGPOTEN ZIJN MANNEN DIE MEKAAR OP DE MOND ZOENEN!
PUH!

BEMP
DAT MAG JE NIET ZEGGEN!
DA'S RANZIG!

RUIGPOOT! RUIGPOOT! RUIGPOOT!
KAN MIJ 'T SCHELEN... 'K HEB M'N KNIKKERS TERUG...

17
HÉ, TITEUF! WAT IS ER MET JOU? RUIG GEVOCHTEN?

HAHA, ERG GRAPPIG! STOMME HAARBAL DIE MANNEN OP HUN KNIKKERS ZOENT!
?
?
?
ZEP

milos

TAK
TAK TAK
AAARG

EEN BOMMEN-WERPER!
VROOOOO

BAOOM
AAAARG

DRRRRRRRRRRRA
GLOEK

PJOEW! PJOEW!
SGREUU
AAAH

BANG
KNAL
AAARG
BAOM
BOEM
DRRA

JULLIE KROATISCHE KLASGENOOT MILOS KOMT NIET MEER TERUG. Z'N GASTGEZIN HEEFT BESLOTEN HEM IN TE SCHRIJVEN OP EEN ANDERE SCHOOL...
OOOOOOOOOOOOOH

× seksuele voorlichting

het grote mysterie

seks en geweld
WAAAH! ZE ZIJN VERLIEFD!

HÈHÈ... ZE HOUDEN ELKAARS HAND VAST ALS KLEINE KINDEREN.
ZIELIG GEWOON!
STOMKOP.
ZE HOUDEN VAN ELKAAR.

ROT OP, UKKIES!
LAAT ONS MET RUST!
VORT!

NOU JA, ZEG... HEEFT IE LAST VAN EEN DWARSE SCHEET?
DE STOEP IS VAN IEDEREEN, TOEVALLIG.

HÉ! ZE HEBBEN ZICH HIERACHTER VERSTOPT... ZULLEN WE KIJKEN?

MF
MMMMMH

WAAROM LIKT IE ZO AAN D'R MOND? DAT SMAAKT VAST RAAR.
VOORAL ALS ZE ZUURKOOL HEEFT GEGETEN, ZOALS IK.

MAAR HOE MOET ZE NOU ADEMEN? STRAKS STIKT ZE!
DAAROM TREKT IE HAAR TRUI UIT...

MMF

WE MOETEN IETS DOEN... VOORDAT ZE ERIN BLIJFT...
JA...

LAAT LOS! ZO STIKT ZE NOG!
!?
WAT?

KRIJG IK EEN KUSJE, TITEUF?
GATVER!
ZEP

nadia

NIEMAND IS ZO MOOI ALS NADIA...
'T IS NIE EERLIJK!

ZE HEEFT IETS WAARDOOR ZE ANDERS IS DAN ALLE ANDEREN...
SARAH VROEG ME IETS...

MISSCHIEN HAAR KETTING VAN ECHTE PLASTIC KRALEN...
MAAR IK KREEG OP M'N KOP...

DE JUF HAD HAAR STRAFWERK GEGEVEN...
"IK WAS 'T NIET," ZEI IK...

'T IS WEL ZO DAT ZE DE HELE TIJD PRAAT...
"IK MAG NIET BABBELEN IN DE LES", VIJF BLAADJES!

VIJF BLAADJES! MORGEN AF BOEHOEHOE...
... MAAR IK ZWICHTTE.

NIET HUILEN... IK ZAL ER EENTJE VOOR JE DOEN...

JE BENT LIEF, TITEUF!
SMUK

IK ZAL JE IETS GEVEN...
IK...

ZEG NIEMAND DAT IK JE DEZE KRAAL GAF. IK VERGEET NOOIT WAT JE VOOR ME GEDAAN HEBT.

JONGENS!
SODEJU! GUL, HOOR!
IK VOND AL DAT DIE KETTING ZO KORT WAS GEWORDEN.
WELKE IDIOOT HEEFT ZE GESTRIKT VOOR HET VIJFDE BLAADJE?

commandant topgun
VROO

ATTENTIE, COMMANDANT! WE HEBBEN DE VIETCONG ACHTER ONS AAN!
ROGER, OVER!
MACH 12!

IEIEIE
IK DUIK IN DE CANYON DES DOODS OM ZE AF TE SCHUDDEN!
WAOOON

COMMANDANT! U MOET STIJGEN... SNEL!
VROOONN
DE GELEN ZITTEN VLAK ACHTER U!

VLEKKEN VOOR M'N OGEN!
IK... IK GA ERAAN!
HELL!

MAAR NEE! DE COMMANDANT KAN NOG NET OPTREKKEN (MET BOVENMENSELIJKE INSPANNING).

GOSH! M'N LONGEN BARSTTEN BIJNA!
DEM'D!
WOOOOON RECHT OP DE VIJAND AF...

WAAIE!

COMMANDANT TOPGUN... DIE MISSIE?
OVER.

visje en de grote evolutie

de verrassing
?
WAT IS DAT?

"VOOR TITEUF"

?

'T IS NIE ZWAAR...

HET GAAT NIET KAPOT.
CHIKA
CHIKA
CHIKA

'T IS ZACHT.
GNIK
GNIK

WAT GAAF!

!!!
MIARRRCHHH

HEB JE JE KATJE GEVONDEN?
ALS KNUFFEL, HAD IK GEVRAAGD.

meneer leonard

medium

AH!

HALLO!

WAT VALT ER TE LACHEN ALS JE ZO'N RAPPORT HEBT!?!
NAAR JE KAMER! EN GAUW!

JOUW VERHALEN OVER MENTALE BEÏNVLOEDING...
M'N NEUS!
ALLEMAAL FLAUWEKUL!
?

WAT EEN STOMME TRUC... DAT DOET EEN GOOCHELAAR NIET... MET Z'N STAF LAAT IE MENSEN VERDWIJNEN, ZAAGT IE VROUWEN DOORMIDDEN, MAAKT IE KONIJNEN...

Z'N SPELLING HEEFT HEM VERRADEN.
de direktuer is un stome zak
ZEP & CHAPATTE

de motoren in mijn leven

RZZZ
CLAC

HEKS

SNAP

VIND JE GESCHIEDENIS SLAAPVERWEKKEND? DE KLAS UIT!

de schooltas

rekenen

2 x 2 = 4
3 x 3 = 9...

SOUNDS
4 x 4 = 16
5 x 5 = 25
6 x 6 = 36...

2 GOEDE REDENEN OM HAAR BALCONET TE GEVEN
... 6 x 7 = 42
7 x 7 = 49
8 x 7 = ...

2 GOEDE REDENEN OM HAAR BALCONET TE GEVEN

WAT?!
IS VIJF KEER ACHT VOLGENS JOU TWEE?!
MAAR PAPA...

dr x-straal

GA MAAR, TITEUF. IK WACHT HIER OP JE.
VOLGENDE...

ONDERBROEK EN T-SHIRT AANHOUDEN... WE GAAN NAAR HIERNAAST.

HELP! IK WIL NIET NAAR TSJERNOBYL!
LAAT ME ERUIT!
WÈH!
!?
BOM
BOM

KOM OP, TITEUF... NIET BANG ZIJN... JE LOOPT GEEN ENKEL GEVAAR!
RUSTIG MAAR!
IK WIL NIE VERPULVERD WORDEN!
WÈH!

DE RADIOLOGIE IS HEEL ANDERS DAN VROEGER. ER KOMT GEEN STRALING MEER VRIJ.
'T IS ONGEVAARLIJK.

WAAROM VERSTOPT U ZICH DAN DAARACHTER?!
!

LUISTER, TITEUF. IK MOET OP EEN KNOPJE ACHTER DAT SCHERM DRUKKEN. MAAK JE GEEN ZORGEN.
DA'S NIE WAAR!
BLIJF RUSTIG.
ER IS GEEN ENKEL GEVAAR!
WEL!

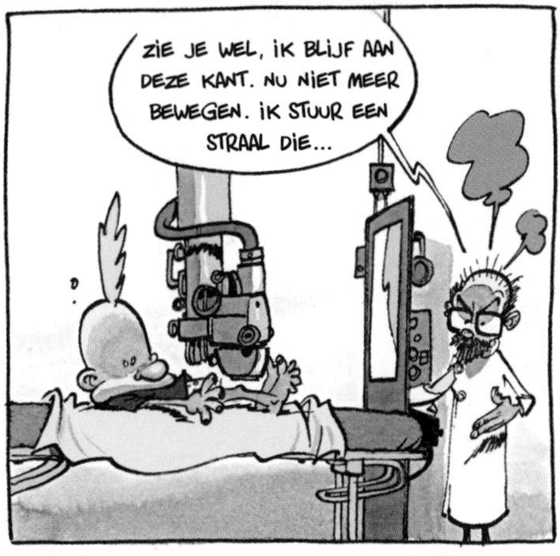

ZIE JE WEL, IK BLIJF AAN DEZE KANT. NU NIET MEER BEWEGEN. IK STUUR EEN STRAAL DIE...

EEN STRAAL! IK WIST 'T! IK ZIT OPGESLOTEN IN EEN KERNCENTRALE. HELP!
BOM
BOM

N... NU EVEN BRAAF ZIJN, DAN MAAK IK EEN FOTO. HET VOGELTJE...
HÈ HÈ
JE KRIJGT 'N LOLLY.
EEN ATOOM-VOGELTJE JA!
ROT

GA HIER DAN ZELF ZITTEN, ALS HET ZO ONGEVAARLIJK IS!

... TITEUF HEEFT OPEENS SCHOENMAAT 46 DOOR DE STRALING... EN JIJ GELOOFDE DAT?!
EH, PAP...
LE GLOBE

SCHRIFTELIJKE TOETS: geschiedenis NAAM: titeuf
AMERIKA

0/10

amerika is uitgevonden door kristofel kollumbus, want eerst waren er indianen met veren

toen bouwden ze de hoofdstad: duckstad

mickey was de eerste president

daarna vond donald het nationale gerecht uit: de hamburger

amerikanen werken bijna allemaal bij de film en als ze te veel rimpels hebben, worden ze president

(dit is de klederdracht)

amerikanen zijn dik omdat ze dikke groente eten

bijvoorbeeld paddenstoel

vliegtuig

ze ketenden de katoenvelden voor winkelketens toen

als ik groot ben

vriendjes
ZE ZIJN ZO LIEF OP DIE LEEFTIJD.
JA.
JE KRIJGT SPIJT DAT JE WACONDAHS GRONDGEBIED HEBT GESCHONDEN!
UGH!
DAMN IT!
DIE TWEE ZIJN ONAFSCHEIDELIJK.
HET LIJKEN WEL BROERTJES.
JE COLT IS LEEG, HOND!
ARGH! IK GA ERAAN... BLOOD AND GUTS!
DE ONBEVANGENHEID VAN DE JEUGD...
DE ONSCHULD...
BLEEKGEZICHT IS AAN MIJN GENADE OVERGELEVERD!
BLOODY HELL!
I AM ER GLOEIEND BYE!
BLAST IT!
MAMA, HEB JE EEN MES? IK WIL MANU SCALPEREN.

dimi

DIMI IS DE KLEINSTE...

HIJ KAN NIET EENS ZELF Z'N VETERS VASTMAKEN...
KIJK! EEN VLIEGTUIG!
?

DAAROM PESTEN WE 'M EEN BEETJE...
BOEAH
HAHA
LOUIS EST UN PETIT QUON

MAAR GISTEREN...
HÉ! JONGENS...

Z'N MOEDER HAD SCHOENEN MET KLITTENBAND VOOR 'M GEKOCHT...

HOPELIJK KOMT ER GAUW EEN NIEUW POOLS JONGETJE...

de rondleiding
KINDEREN, IK VIND HET LEUK OM JULLIE TE VERWELKOMEN IN ONZE MOOIE KERNCENTRALE.

JULLIE ZIEN HIER AFBEELDINGEN VAN PROTONEN EN NEUTRONEN, MILJARDEN KEREN VERGROOT!
EEN DOORSNEDE VAN DE REACTOR... EEN MAQUETTE...
NE PAS TOUCHER

MOGEN WE DAARNA OOK DE STRALINGSBABY'S MET TWEE HOOFDEN ZIEN, MENEER?
JA... KAN DAT?

HAHA! GRAPPIGE LEGENDE... JULLIE GAAN HEEL ANDERE DINGEN ZIEN!
HET KOELSYSTEEM VAN DE REACTOR!
VOLG ME!

HIER WORDT DE RIVIER AFGETAPT OM DE REACTOR AF TE KOELEN, DIE HONDERDEN GRADEN WARM WORDT!

WORDT HET DAARNA EEN ATOOMRIVIER? ZITTEN ER DAAROM MONSTERS IS?
JA, DRAKEN!

ATOOMMONSTERS VOL PUISTEN, MET ACHT POTEN EN ZES OGEN...
MAAR ONGEVAARLIJK, WANT ZE GAAN DOOD AAN KANKER...

GENOEG! HOU OP MET DIE ONZIN! STEL INTERESSANTE VRAGEN!
MAAR ...
IK HEB EEN VRAAG

IS HET WAAR DAT ALLE MENSEN DIE HIER WERKEN... EH, KALE KINDEREN HEBBEN?
DAT ZEGT M'N VADER...

WAAROM WERD DIE MENEER HELEMAAL PAARS?
DAT KOMT DOOR DE STRALING, OEN!
VONDEN JULLIE 'T LEUK, KINDEREN?
JAAAAA

de vloek van de onderbroek
SCHOOLKAMPEN ZIJN WAARDELOOS...
ALLEMAAL IN DE RIJ!

WE WORDEN BEHANDELD ALS BABY'S...
PAK-ELKAARS-HAND-VAST!

WE ZINGEN ACHTERLIJKE LIEDJES...
DIE WOU GAAN VAAARUH

ONZE TASSEN ZITTEN PROPVOL...
KIJK NOU... EEN ONDERBROEK...

SHIT! DIE IS VAN MIJ...
HÉ! EEN ONDERBROEK!

VAN WIE IS DEZE ONDERBROEK?!
SSSSST!

ER STAAT EEN T OP... IS IE VAN JOU, TITEUF?
HELEMAAL NIET!

SCHAAM JE NIET, HOOR. IEDEREEN DRAAGT EEN ONDERBROEK...
NOU, DEZE IS NIET VAN MIJ!

WAT IS HIER AAN DE HAND?
TITEUF ZEGT DAT Z'N ONDERBROEK NIET VAN HEM IS.
HIJ IS HELEMAAL NIET VAN MIJ!

GOOI WEG, ALS IE VAN NIEMAND IS!
LOPEN!
7-12

ZEG, TITEUF... ER ONTBREEKT EEN ONDERBROEK.
LATER GA IK DRINKEN OM TE VERGETEN.

schimmel

GROEIEN DE KLEINE PIEMELTJES AL?
SUKKEL.
PFFF

TOEVALLIG IS DE MIJNE GROTER DAN DE JOUWE!
DE MIJNE IS MINSTENS EEN METER!
DA'S OMDAT JE EEN PAAL HEBT.
WAH

HEEL ANDERS DAN MANU! WAHAHAHAHA!
ZEGT NIKS... DAT KOMT LATER WEL...
... IN HET LEGER.
WAF
ARF
WAH

MOET JE DIE KEREL ZIEN!

WAH! HIJ HEEFT EEN GROTE!
DENK JE DAT IE ZIEK IS?
HIJ HEEFT EEN SCHIMMEL.

M'N OPA HAD HETZELFDE... AAN Z'N VOET... DIE WERD HEEL GROOT EN MOEST OPERATIEF VERWIJDERD WORDEN.
DA'S NIET HETZELFDE, OEN.

HEEFT IE MISSCHIEN EEN ONTSTOKEN BLINDEDARM?
WELNEE, SUKKEL. DAN HADDEN ZE DIE WEL WEGGE-HAALD.
'T IS EEN REUZEN-SCHIMMEL.

WELNEE... NA DE OPERATIE TRANSPLANTEREN ZE EEN ANDERE...
HEB IK OP TV GEZIEN.
DAT ZAL HET WEL ZIJN!

HIJ HEEFT VAST DE PLASSER VAN EEN OLIFANT GEKREGEN!
TJEE, ZEG!
DENK JE DAT ZOIETS KAN?

TUURLIJK NIET. DAT KAN HELEMAAL NIET. HIJ HEEFT GEWOON SCHIMMEL AAN Z'N PIEM!
WAT ZIJN JULLIE STOM!
VAN 'N OLIFANT MISSCHIEN NIET. WEL VAN 'N PAARD...
VRAAG MAAR AAN 'M

SORRY, MENEER. IS BIJ U DE PIEMEL VAN 'N PAARD OF 'N OLIFANT GETRANS-PLANTEERD?
OF ZIT ER SCHIMMEL OP?

EEN SCHIMMEL, NET ALS M'N BROER... DIE WAS TOEN OOK NIET TE GENIETEN...

ruft

SCHOOLKAMPEN ZIJN 'S AVONDS HET LEUKST...
JONGENS!
SST.
KOP DICHT, HUGO!

NOU JA... HOREN JULLIE ECHT NIETS?
NEE, HOEZO?

HET ONWEER...
ER IS GEEN ONWEER.

WELLES! LUISTER MAAR GOED... GNNNNN
PROUT

WAT EEN VIESPEUK!
WE WILLEN SLAPEN.
JAKKES! WAT STINKT DAT!
HA
HA
HA
OUAF
HA

EN DEZE... GNNN
GETVER.
HA
HA
BRAFT.
HA

JONGENS! EEN STRAALJAGER!
HA
PWÂ
OUAF
HA

SCHEI UIT! ZO KUNNEN WE NIET SLAPEN!
HA
BESLAAN JE BRILLENGLAZEN?
HA
WAAH WEET JE WAT WE DAAROP ZEGGEN?
PROOOT

EN JIJ, TITEUF?
WACHT... KOMT IE... GNNN

ZEG, WAT IS DAT VOOR LA...?!
PRO

WAT MAAKTEN JULLIE EEN HERRIE GISTERAVOND...
DAT WAS TITEUF.
VIESPEUK
ECHT GOOR.
JEK
IK BLIJF UIT Z'N BUURT

het nieuwe schooljaar

het museum

JULLIE KUNNEN ALLERLEI SOORTEN WILDE DIEREN VAN DICHTBIJ BEWONDEREN.

ZE ZIJN PRACHTIG OPGEZET.

RAAR! NET OF IE GAAT BEWEGEN...

BOEH!

KIELE! KIELE!
DOE NIET ZO STOM!
GNIK GNIK

WAT GEEFT 'T... HIJ IS TOCH DOOD.
DAT DACHT JE MAAR! HIJ IS HELEMAAL NIET DOOD!

MAAR HIJ IS TOCH... OPGEZET?
HAHA... JIJ WEET NIET EENS HOE ZE DAT DOEN.

ZE LATEN 'M HEEL VEEL HOOI VRETEN, ZODAT IE EEUWIG BLIJFT LEVEN.
WIST IK HEUS WEL!

EEUWIG... ZEKER WETEN?
JA NOU.
JEUJ

JE OUDERS ZULLEN VAST OPKIJKEN.
JA.
WAT DOEN JULLIE DAAR, KINDEREN?
MEOOOWGLB
HOOI

de sekseend
WILLEN JULLIE EEN SNOEPJE?
NEE!
ECOLE

'N SNOEPJE, VENTJE?
NEE!
WIJ HOEVEN JE GORE SNOEPJES NIET!

WAAROM WIL NIEMAND Z'N SNOEPJES?
OMDAT DE JUF ZEGT DAT IE EEN VIESPEUK IS...

WAAROM IS IE EEN VIEZE PEUK? OMDAT IE VEEL ROOKT?
EH... JA, DENK IK.

IK WEET HET, JONGENS... JE MAG Z'N SNOEPJES NIET AANPAKKEN OMDAT IE JE DAARNA MEENEEMT NAAR HUIS... EN WEET JE WAAROM?
EH...

OM SEKSSPELLETJES TE DOEN, DAAROM!

SEKS... SEKSSPELLETJES? HOE GING DAT OOK ALWEER?
NOU, EH...
SEKS-SPELLETJES?

VAST SPELLETJES DIE JE NAAKT DOET.
WAT SMERIG!

KEN JIJ SEKSSPELLETJES?
JA, TUURLIJK... EH... GEWONE SPELLETJES MAAR DAN NAAKT...
SEKS-KNIKKEREN...
SEKS-HINKELEN...
SEKSGAMEBOYEN...

SEKSHINKELEN?! HELEMAAL NAAKT MET MEISJES?!
JAKKES!
EN JE KRIJGT ER VAST ZERE VOETEN VAN...

BIJ SEKSVOETBAL BIJVOORBEELD HEB JE GEEN SHIRT AAN...
HOE MOET JE DAN DE TEAMS UIT ELKAAR HOUDEN?
KWEENIE.
MISSCHIEN ZIJN ER ANDERE REGELS....
... MAAR DE SCHEIDSRECHTER HEEFT WEL EEN FLUITJE, VOLGENS MIJ.

HALLO, MAM...
BEN JE DAAR, TITEUF... ER STAAT EEN BAD VOOR JE KLAAR.

HELEMAAL NAAKT...

IK WAS JE EENDJE VERGETEN. WIL JE ERMEE SPELEN?
PEP
PEP

NEE! IK WIL HET EENDJE NIET! IK BEN NIET IN DE STEMMING VOOR SEKSSPELLETJES.
?

JE MOET NIE OVERDRIJVEN...
TOEVALLIG.
einde

HEBT U BUTTONS?
SEXUAL TRIATHLON
LIVRÉ AVEC BONBONNE
10 F. LE M.
BIG DIG
SUPER X
FEUX ARDENTS
CUL MAGAZINE
Bébé CONDUM
ZEP